目录
CONTENTS

第一章 概　述

石油工程专业安全监督检查主要涉及钻井作业和修井作业。

一、钻井作业

钻井作业主要包含钻台区、机房区、循环罐区域的设备设施及常规作业、高风险作业。

钻台区包含：钻机绞车、泥浆泵。

机房区包含：主发电机组和辅助发电机组、主发电机组进气系统和冷却系统、电控系统、网电设备、直流电机。

循环罐区包含：泥浆罐、振动筛、砂泵、搅拌机等。

常规工序包含：正常钻进、起下钻、电测、下套管、固井。

高风险作业包含：井架起放、处理井下复杂作业、抽（穿）大绳、安装（拆卸）顶驱和导轨、设备检维修等。

二、修井作业

修井作业主要包含井架系统、提升系统、循环系统、刹车系统、井控装备涉及的设备设施及常规工序、特殊工序。

常规工序包含立（放）井架、拆（装）采油树、洗（压）井、起下抽油杆、拆（装）防喷器、防喷器试压、起下管柱、打捞、解卡、注水泥塞（封堵）、试油（气）等。

特殊工序包含打开长停井井口、水射流解堵、水力喷砂、气举、高压充填、酸化、压裂、钻磨套铣、冲砂、射孔、地层测试等。

第二章　钻井作业安全监督检查

本章主要包括钻台区、机房区、循环罐区域安全检查注意事项，以及钻台区的钻机绞车、泥浆泵等设备的安全检查事项和相关操作注意事项；机房区主发电机组和辅助发电机组、电控系统、网电设备、直流电机等设备的安全检查事项和相关操作注意事项；循环罐区的泥浆泵、振动筛、砂泵、搅拌机等设备的安全检查事项和相关操作注意事项。

一、通用检查要求

本节主要介绍在钻井作业现场通用的安全检查注意事项。

（1）正确穿戴劳动保护用品，使用合规工器具。

（2）按照开钻验收表逐条确认，不符合开工条件的禁止施工。

（3）各部件装配正确，无松动。

（4）设备安装平正稳牢全灵通，各部分防护罩齐全牢靠。

（5）各部分安全警示语标注齐全、醒目。

（6）电气设备运行正常，动力电缆与控制电缆无混接、互不干扰，接地良好。

（7）监控布设满足区域有效覆盖，布局合理，具有回放及远程传输功能。

（8）设备运转时严禁进行保养、清洁作业。

二、设备检查要点及操作注意事项

本节主要介绍对钻台区、机房区、循环罐区相关设备的检查事项及相关操作注意事项。

1. 钻台区

（1）钻机绞车

①钻机与配重水柜固定螺栓连接牢靠，带式刹车调节后平衡梁两端底面与轴座上端面的间隙偏差应 < 1mm。在刹把完全松开的情况下，刹车块与刹车鼓沿圆周的间隙为 1~3mm，液压刹把与垂直方向的有效转角为 45°~70°。

②过卷防碰拨杆长度和位置根据游车上升的工作位置来调整，气路无漏气现象，刹车动作灵敏。

③钻机绞车启动前，各油汽水以及固定流程满足要求，旋转部位封闭，绞车上面应无人员作业、无工件遗落。

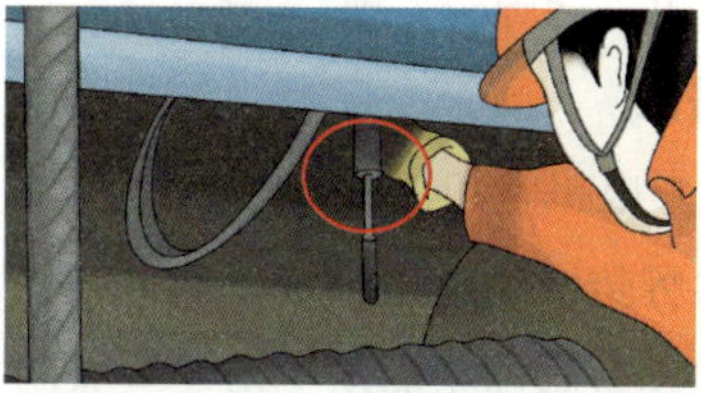

④游车在高速上行或下放过程中，禁止试验防碰天车。

（2）泥浆泵

①空气包预充压力为泥浆泵工作压力的 1/3。

②在工作状态下严禁检查保险凡尔。

③保险凡尔安全销插到与缸套相应压力的销孔上，无弯曲变形，且有效。

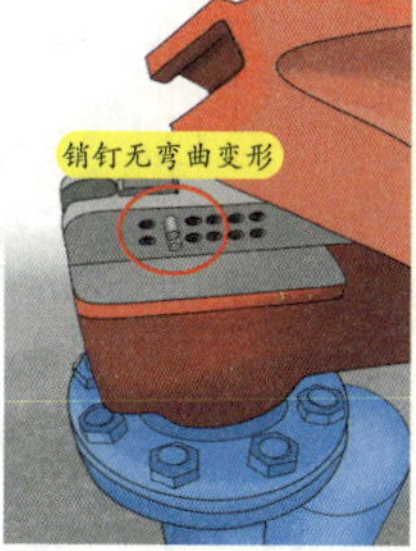

④在泥浆泵运转过程中拉杆箱护罩应处于关闭状态，人员远离高压区域和旋转部位，严禁接触运转部位。

⑤在泥浆泵检维修时，应正确倒好高低压闸门、关闭电机电源，挂牌、上锁。

2. 机房区

（1）主发电机组和辅助发电机组

①发电房防雨、防火、防沙尘措施齐全有效，满足通风条件，有燃油箱的发电房还应有防泄漏、防着火措施。

②柴油机、发电机排气管系统单独支撑，排气管出口禁止指向油罐区，排气管室内部分有防烫装置，室外部分有防雨水措施。

③发电机各控制开关项点标识清晰、准确，一闸一控。

（2）电控系统

①电控房高架安装，应有排水措施，干爽整洁。电缆敷设路径有序，平直无损易于检修。不同等级电源禁止混接，禁止利用大地作中性线。

② SCR 房温度为 20~25℃，湿度低于 70%。

③室外和露天场所电气设备进线口的开孔位置，禁止设置在电气设备的上方。

④电控房内应急照明灯、灭火器齐全有效，通道畅通。

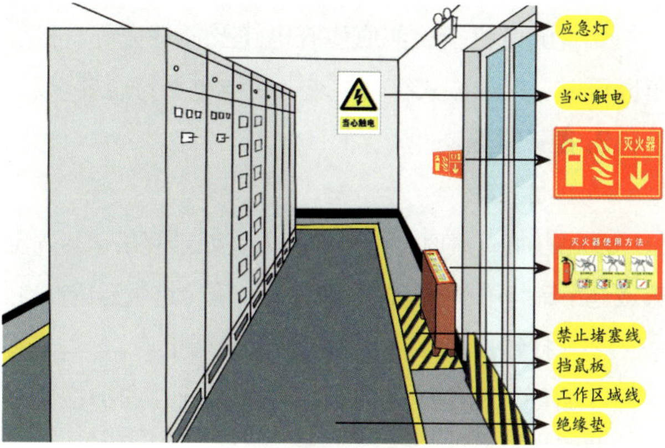

⑤电控房内应铺设绝缘垫，且平整、无裂纹和变形等缺陷，表面应洁净无油污。绝缘垫厚度一般 > 5mm，更换周期一般不超 3 年。

（3）网电设备

①网电设备在安装及拆卸时，应严格执行验电、挂牌落锁、控制开关断电等制度。

②处理电路板时，佩戴接地腕带。

③绝缘测试时应断开电缆连接，禁止摇表直接测量整流或逆变进出端的绝缘电阻，断电插拔出线柜插接件。

（4）直流电机

①操作人员须持有高压电操作证。

②直流电机按照要求进行接地或者接零。

③直流电机安装前应检查电缆及插件完好、接线牢固可靠、接线方式符合要求、供电电压符合要求。

3. 循环罐区

（1）泥浆罐

①吊装循环罐时，严禁安装人员处于起吊罐与固定罐或起吊罐与吊车支撑腿之间位置，安全逃生通道畅通。

②搅拌器搅拌波轮安装时，禁止通电。

③循环罐两侧应安装护栏，人行通道和护栏要牢固，照明灯拴好保险绳。

④循环罐安装时，罐面应连接平整、无破损，盖板无缺失，梯子及扶手安装牢固，观察口张贴“严禁入内”警示标识。

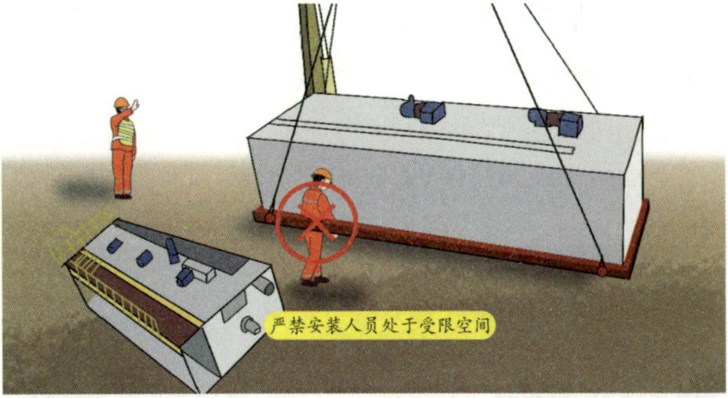

⑤循环罐上应安装液面报警器，报警器底座固定在罐面上，浮球杆和液面保持垂直状态，且工作过程中声光报警器处于常开状态。

（2）振动筛

①筛板安装好后无挠曲现象，筛布、支撑件及流道保护装置损坏严重应及时更换，非操作人员不得靠近设备。

②设备在两个方向上保证水平，钻井液分布均匀。

③筛网安装时，筛网胶条胶板齐全，筛框上的固定板要拆除，筛框内无杂物，筛框上禁止焊接或安装排砂槽。

④排砂槽，应对齐振动筛出砂口。

⑤振动筛接电源前先拆除固定筛框的固定板，并妥善保管。

⑥振动筛附近有害、可燃气体易聚积的场所，应使用防爆排气扇。

（3）砂泵

①砂泵转向与铭牌标示方向一致。

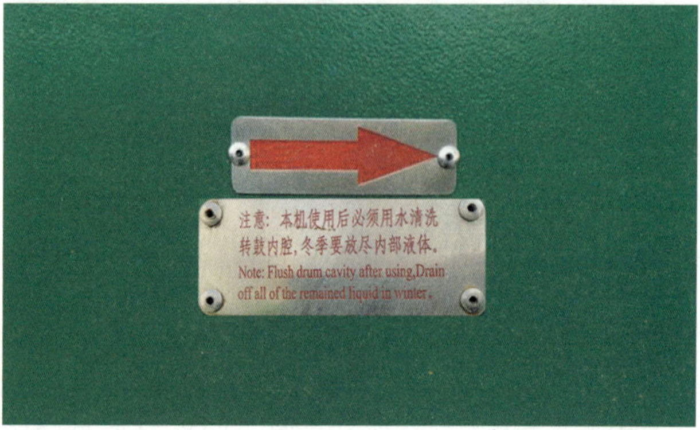

②砂泵安装基础水平牢固可靠，靠近抽送源。

③砂泵进出口管路应安装蝶阀和软接头，连接轴承处润滑油适量，手动盘动泵轴无卡阻。

④长时间停用或气温低于 0℃，应排出泵内的液体。

（4）搅拌机

①搅拌机转向与铭牌标示的方向一致。

②减速器内润滑油适量，搅拌叶轮距罐底距离 100~200mm。

③搅拌波轮断开电机电源，搅拌波轮与减速器输出端紧固件牢固，搅拌波轮无偏摆。

④钻井液搅拌机联轴器护罩应齐全牢固。安装架空槽时两端应使用压制绳套，严禁高位摘挂绳套。

三、常规工序检查要求

本节主要介绍在钻井常规工序作业过程中的检查事项及相关操作注意事项。

1. 正常钻进作业

（1）司钻操作刹把严格按照钻进参数进行作业，送钻均匀，注意指重表和泵压表的变化。钻进过程中，井控闸门状态良好，开、关牌醒目悬挂。

（2）涉有毒有害气体（硫化氢）的井场应按人数100%储备正压式呼吸器。

（3）高压立管接头、阀门、压力表、传感器接口等高压部位开泵起压期间严禁人员逗留、通行。

（4）首次开泵检查管线连接牢固，流程正确后进行试运转，泵压异常立即停泵。

（5）值班干部或钻井工程师在钻头、螺杆、钻铤、震击器等特殊钻具入井发生井下异常时，在钻台旁站指导。

（6）在夜间作业时，照明应良好。

（7）在冬季钻进时，司钻每10~15min活动一次气控开关，防止气路冻结。无自动放水的储气罐每30min放水一次。

2. 起下钻作业

（1）起下钻作业前，控制系统、提升系统、冷却系统、钻井仪表及井口工具状态良好。

（2）起下钻前试验防碰天车，试验完成后复位。

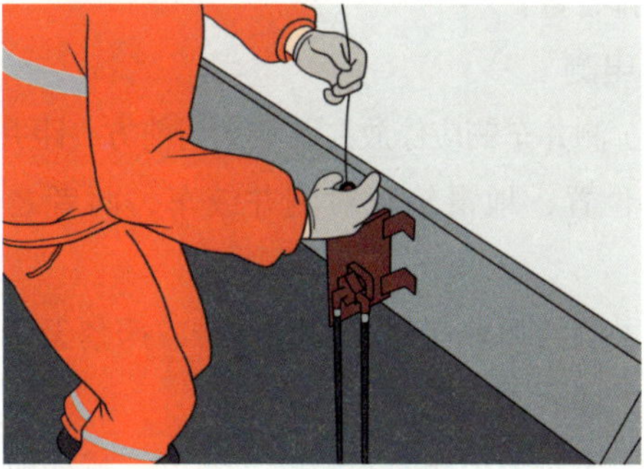

（3）上下井架使用防坠落装置，二层台作业穿戴专用安全带，临边作业做好防坠措施，高处作业工具系好保险绳。

（4）下钻达 700m 或钻具悬重大于 300kN 要挂辅助刹车。

（5）起下钻期间按井控要求进行坐岗、灌浆，核对钻具排替量。

3. 电测

（1）测井车辆应停放在井架大门前方，距井口 25m 以上的位置，地滑轮正对测井绞车，两者之间无障碍物。

（2）测井作业区域设置警戒带，严禁无关人员进入作业区域。

（3）当对放射源进行搬移、装卸、操作时，非专职操作人员应撤离至安全区域。

（4）在测井过程中，严禁使用大功率设备，倒电前应提前告知电测人员。

（5）对正在运行的电缆严禁对其跨越及用手触摸。

（6）天滑轮吊孔内必须拴挂保险绳。

4. 下套管作业

（1）下套管时按要求进行坐岗、灌浆，并核对套管排替量，严禁使用钻井泵进行高压灌浆。

（2）下套管前取出防磨套，按要求更换与下入套管尺寸一致的防喷器闸板并试压合格。

（3）在夜间照明不良、视线不清楚的情况下，严禁进行下套管作业。

（4）严禁使用钢丝绳吊套管上钻台，应使用专用吊带。

（5）从场地往钻台上吊套管时，场地和钻台操作人员必须退至安全位置。

（6）套管上钻台时大门前应加挡绳，公母扣戴好护丝。

（7）吊卡活门应灵活好用，台阶完好、无严重磨损。

（8）扣合吊卡活门后，确认活门状态关闭，方可起升套管。

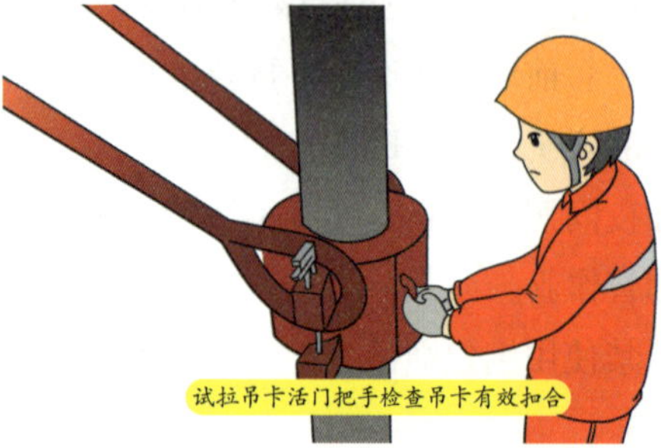

5. 固井作业

（1）钻井队值班干部与固井方沟通安全措施及注意事项，签订安全协议。

（2）固井现场必须储备足够的重浆和加重材料。

（3）固井期间，所有人员远离高压区。振动筛区域有人员坐岗。

（4）固井结束，应按照设计要求进行候凝并安排专人观察压力变化，候凝期间禁止拆卸井控设备。

四、高风险作业检查要求

本节主要介绍在钻井高风险作业过程中的检查事项及相关操作注意事项。

1. 井架起放

（1）起放井架前检查、试用刹车装置，确保刹车灵活可靠。

（2）人员撤离到安全位置，采用绞车最低挡，设专人平稳操作。

（3）按要求对井架进行试起100~200mm时，停留3~5min，检查刹车系统及辅助刹车系统性能可靠、井架各连接处牢固。

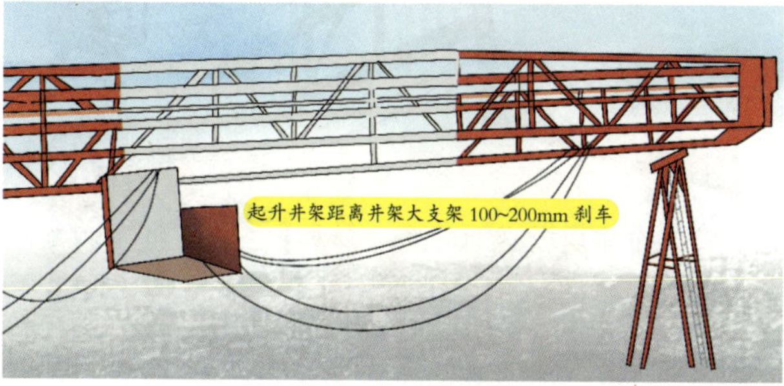

（4）遇有五级以上大风、雷电或暴雨、雾、雪、沙尘暴等能见度小于 30m 时应停止作业。

（5）井架起升就位后，将起升大绳拉紧至钩载 150kN 左右，及时将井架与人字架连接牢固。

2. 处理井下复杂作业

（1）处理井下复杂作业需制定详细的技术方案，人员分工明确，站在安全位置。

（2）对悬吊、刹车等系统进行重点检查，清理钻台面，保证安全通道畅通。

（3）处理井下复杂作业前应开展 JSA 分析，制定防范措施。

（4）安排专人在现场进行技术指导和安全监控。

3. 抽穿大绳作业

（1）进行抽穿大绳作业时，要按照要求佩戴好保险带，进行临边作业防止高处坠落。

（2）在排大绳时，人员要远离大绳、卷绳器，与危险区域保持一定安全距离。

（3）当不使用绞车等设备时，应及时停动力，挂牌落锁。

（4）在拆卸死、活头绳固定时，注意配合，防止人员伤害。

（5）大绳卷绳器电源必须由具有电工操作证的人员进行连接、拆卸。

4. 安装（拆卸）顶驱和导轨

（1）安装（拆卸）顶驱和导轨，上提游车时应操作平稳，防止导轨摆动过大。

（2）导轨接近调节板期间，司钻与井架工应保持信息畅通，密切配合完成连接作业。

（3）高空作业使用的手工具均应系保险绳。

（4）下放导轨摘挂下车至导轨底部时，应提前用气动绞车吊住，以防小车摆落伤人。

（5）根据顶驱重量选择相应吨位吊车，打好吊车千斤板。

（6）小车提环与游车提环之间系好保险绳。

5. 设备检维修作业

（1）设备检维修前应开展JSA分析，制定防范措施。

（2）作业人员穿戴好劳保用品，参与敲击人员需佩戴好护目镜，进行高空作业时应佩戴好安全带和坠落器。

（3）设备检维修必须断开动力源（气源、电源、液压源），根据具体情况采取泄压、降温、通风等措施。

（4）在设备启动开关处，应挂牌上锁，安全警示标识醒目齐全，必要时设专人监控。

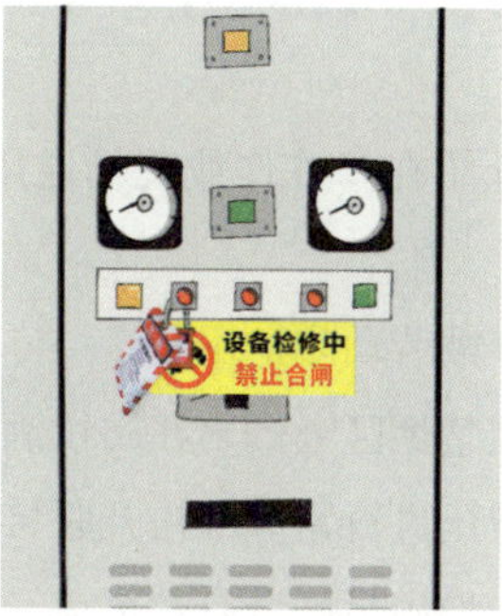

（5）检维修过程中，工作面应保持干净整洁、无杂物，必要时采取有效的防滑措施，高温或低温时应采取相应措施。

第三章　修井作业安全监督检查

本章主要介绍石油工程专业大修作业、小修作业、带压作业、连续油管作业等的安全检查注意事项，以及修井设备、井架、井控装备、游动系统、循环系统、吊具、液压钳等设备的检查事项和相关操作注意事项。

一、通用检查要求

本节主要介绍在修井作业现场通用的安全检查注意事项。

（1）正确穿戴劳动防护用品。

（2）禁止在禁烟区吸烟、在岗饮酒或酒后上岗。

（3）禁止带压进行紧固或松开联接等操作。

（4）监控布设满足区域有效覆盖，布局合理。

（5）监护人应佩戴明显标识，禁止从事与监护无关的工作或离开监护岗位。

（6）设备设施紧固件、连接件牢靠，各部分防护罩齐全稳固。

（7）井场布局满足工艺流程、施工要求，设备涂色、安全警示标志、警示语醒目齐全。

（8）井场内用电、带压、旋转等设备设施应设警示带或能量隔离措施。

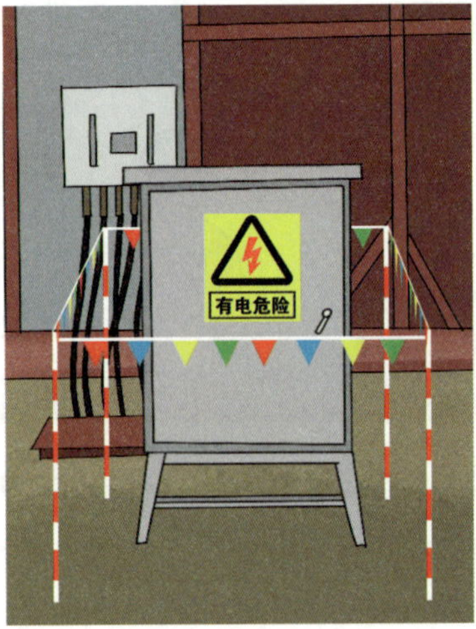

二、设备检查要点及操作注意事项

本节主要针对井架系统、提升系统、刹车系统、循环系统、井控装备等相关设备设施的安全检查要点及安全操作注意事项进行介绍。

1. 井架系统

（1）井架无变形、开焊等缺损，定期检测。

（2）二层平台应安装正确、牢固且逃生装置有效，逃生绷绳上端应固定在便于逃生处。井架及二层平台严禁摆放和悬挂与生产无关的物品，工具应系保险绳。

（3）井架天车应安装操作安全防护装置，钢丝绳防跳槽装置齐全、有效。

（4）井架绷绳应符合井架出厂安装标准。

（5）绷绳端应用不少于 3 个等径绳卡卡牢，绳卡压板应压在主绳上，卡距为绷绳直径的 6~8 倍。

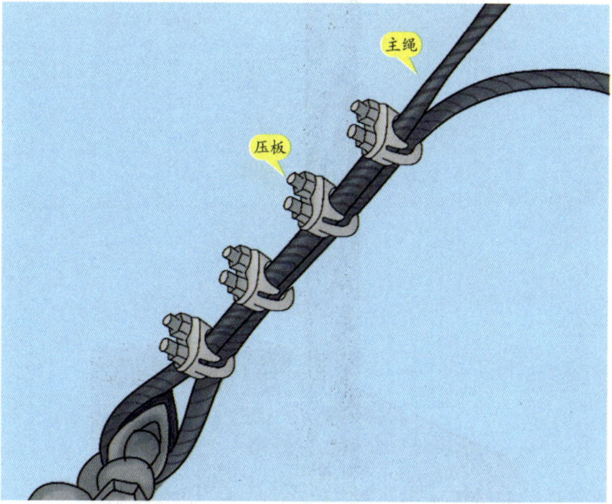

（6）使用修井机作业时，应根据修井机型号选择满足安全需要的承载绷绳，两端各用 4 个相应规格的绳卡卡牢。

2. 提升系统

（1）游动滑车、吊环、吊卡、抽油杆吊钩等吊具应定期检测，检测周期为 2 年。

（2）提升钢丝绳不应有严重磨损、锈蚀及挤压、弯曲等变形情况，出现一扭绳中发现随机分布的 6 根断丝或一扭绳中的 1 股中发现有 3 根断丝不应继续使用。

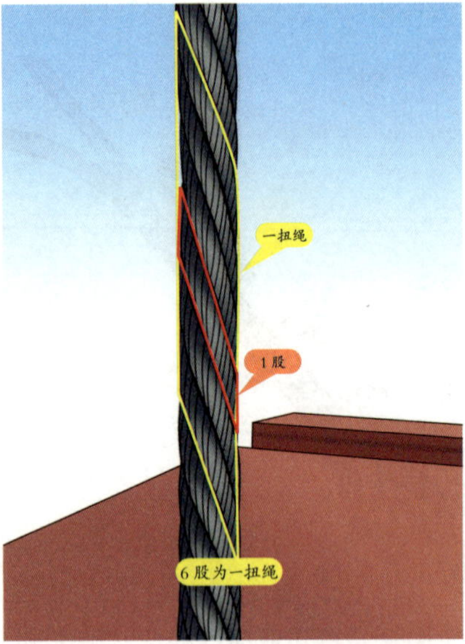

（3）活绳头按照设备设计要求固定牢靠，游动滑车处于最低位置时，保证滚筒上余绳不少于 15 圈。

（4）指重表（拉力表）应定期校验，确保灵敏、准确，表面清洁；拉力表保险绳圈径小于 1m，并用不少于 4 个绳卡卡牢。

（5）使用BJ系列井架作业时，死绳头用5个以上配套绳卡卡牢，固结后应有不少于1m以上的余长。使用修井机作业时，死绳固定器应可靠有效。

（6）游动滑车、天车、滑轮应转动灵活、护罩完好；大钩弹簧、保险销应完好，转动灵活，耳环螺栓保险销齐全。

（7）吊环应等长并无变形，吊环挂合部位磨损不应超过判废标准。

表3-1为SH型双臂吊环挂合部位尺寸与符合能力对应表。

表3-1　SH型双臂吊环挂合部位尺寸与符合能力对应表

SH150		SH75		SH50		SH30	
d/mm	负荷能力/t	*d*/mm	负荷能力/t	*d*/mm	负荷能力/t	*d*/mm	负荷能力/t
65	150	50	75	45	50	40	30
61.5	120	46.5	50	41.5	30	36.5	20
59	75	43.5	30	38	判废	33	判废
55	判废	40	判废				

注1：*d*为吊环与吊卡挂合处最小尺寸。

注2：对表中不能直接查出的数值，通过按表中已列出的数值绘制“*d*与负荷能力”曲线确定相应数值。

（8）活门、月牙吊卡应使用防跳吊卡销子并拴有保险绳，吊卡销与吊卡规格应匹配。

（9）抽油杆吊钩保险销灵活好用，应使用直径不小于 15.5mm 的钢丝绳缠绕 2 圈，用 4 个绳卡卡牢。

（10）液压动力钳应安装防挤手装置，更换液压部件或修理液压钳应先切断动力源。

（11）液压动力钳吊绳、尾绳应根据其型号选用直径为 9.5~15.5mm 的钢丝绳，每端各用 3 个以上绳卡卡牢，尾绳销应使用销子锁住。

3. 刹车系统

（1）毂式刹车、液控盘刹、水刹车、气控钳式辅助刹车等刹车装置，刹车间隙合格、刹车块磨损不超标。

（2）操作绞车进行作业时，气控系统气压不应低于 0.7MPa，刹车系统完好可靠。带式刹车刹把、液控盘刹驻车制动手柄应配有锁止装置。

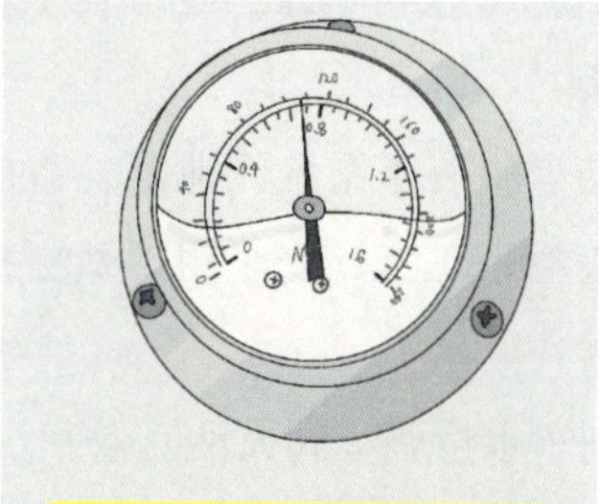

气压表：气控系统气压不应低于 0.7MPa

（3）刹车毂无变形，固定螺栓齐全紧固。

（4）刹带、垫圈及开口销应匹配齐全，刹带无变形、无裂纹，顶丝、顶轮、弹簧齐全完好，刹带片磨损剩余厚度不应超过刹车片固定螺栓上平面，固定螺栓应齐全紧固。

（5）液控盘刹液压系统无泄漏，蓄能器氮气压力合格，各仪表指示正常，安全钳碟簧更换周期不超过12个月。

（6）水刹车水量调节阀灵活有效，水箱液位合格，气路、液路无泄漏。

（7）应配备防碰装置，防碰天车装置灵活好用，防碰距离不小于2.5m，定期检查防碰装置的完好性。

4. 循环系统

（1）橇装泵应安装牢固，泄压阀、压力表灵敏可靠，定期校验。橇装泵与罐应连接牢固，泄压管线安装合理并固定。

（2）使用水龙头、水龙带、弯头时，应卡好保险绳并防碾压，使用压力不超过额定工作压力。水龙带无鼓包，无明显破损变形。

（3）循环罐四周灯光充足，装有完好的电动搅拌器和液面报警器，符合防爆要求。

（4）循环罐护栏齐全完好，罐面无杂物、无严重锈蚀，观察孔有护网或活动板。

5. 井控装备

（1）防喷器、旋塞阀应按设计要求选用，开关应有状态标识，防喷器应装齐闸板手动操作杆。

（2）液压防喷器液控油路进出口应朝向井架，与远程控制台控制开关的进出口一致，防喷器液压管线应有防碾压保护。

（3）节流管汇和压井管汇的额定工作压力应不小于防喷器的额定工作压力，节流管汇和压井管汇应安装在钻台或操作台以外，并摆放平整。各闸门开关应有状态标识，除节流阀以外应全开或全关。

（4）防喷器远程控制台储能器压力应符合规定要求，仪表、调压阀灵敏好用，手柄标识清楚。

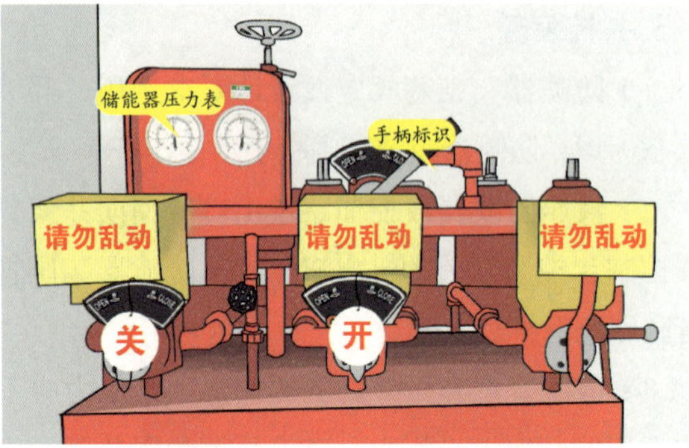

（5）远程控制台电源应使用单独的开关控制，满足“三相五线制”并安装保护接地线。

（6）井口应备有与井内管柱匹配的并接好旋塞阀的防喷短接，旋塞阀开关灵活并处于开启状态。

（7）对于压井、替喷、放喷、气举、气化水洗井的施工，流程连接应使用钢制硬管线并用地锚（水泥基墩等）固定，放喷管线转弯处应使用不小于 120° 钢制弯头或 90° 带抗冲蚀功能的弯头。

6. 井场用电

（1）井场配电线路应采用橡胶软电缆。电缆规格型号的选择应满足负荷。

（2）电缆架空敷设时走向应合理，固定点间距应保证橡套电缆能承受自重所带来的张力，电缆对地最小距离应大于 2.5m。

（3）电缆埋地敷设时，埋深应不小于0.3m；拖地使用时，应采用重型橡套软电缆，宜采用穿硬质管线等相应保护措施。

（4）井场所有电缆均不宜有中间接头。若有接头应采用防爆接头连接，应保证接头不承受张力；不应将供电线路直接挂在设备、井架、绷绳、罐等金属物体上。

（5）值班房进户线过墙应穿绝缘管保护，并设防雨弯。

（6）发电机应有专人操作，负荷不应大于额定功率，输线出口应穿绝缘胶管，排气管应装阻火器。

（7）配电箱应防雨通风、保持干燥，基础平整，配电箱总开关应装设漏电保护器，各处接头不应裸露和松动。

（8）配电箱内盘面上应标明回路名称和用途，进出线不应承受外力，不应与金属断口和腐蚀介质接触。

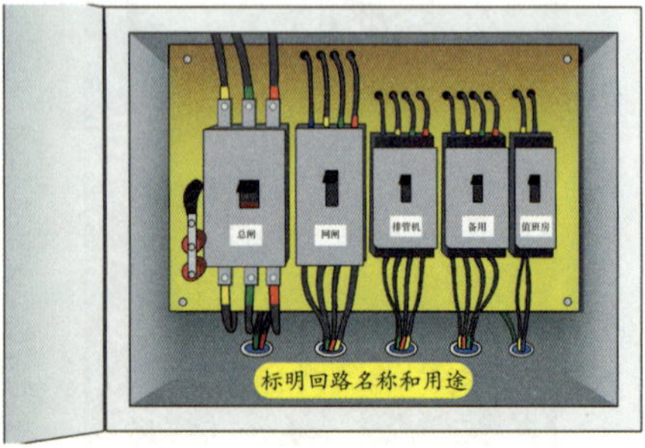

（9）井场露天移动照明应使用低压照明和防爆灯具。灯具的相线应在配电箱设开关控制，不应将相线直接引入灯具。井架、钻台上的灯具应安装保险绳。

（10）电取暖器温控装置良好有效，0.5m 范围内不应放置和烘烤易燃物。

（11）配电箱、电机、电取暖器等用电设备的金属壳体都应做保护接零（接 PE 线），所有保护接零（PE 线）都应可靠接地，禁止将值班房金属架构做接地连接体。

7. 压驱设备

（1）变频橇、压驱泵橇距离井口、值班房大于 10m。

（2）井口应连接硬质放压管线，每间隔 10m 和出口处用地锚固定，出口处距井口、用电设备大于 10m。

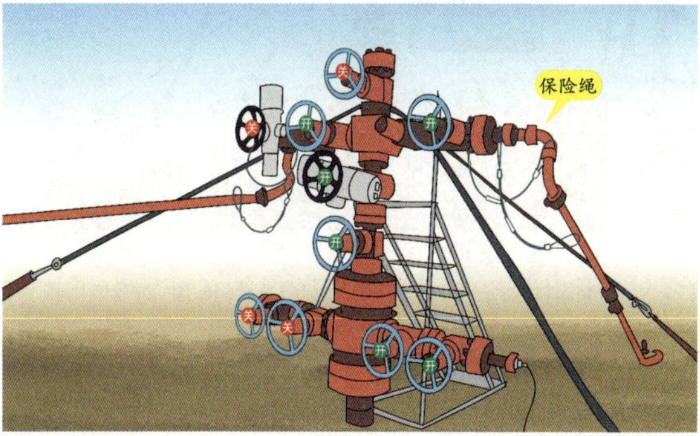

（3）高压管汇、高压弯头及旋塞阀定期检测，高压管汇每隔 10m 及拐角处使用地锚固定，由壬连接处应加装保险绳。

（4）高压电缆可采用电缆桥架或埋地铺设，禁止盘圈使用，警示标识齐全醒目。

（5）高压配电区域周边应设置警戒，在醒目位置应有“止步高压危险”警示标语。

（6）高压区（压驱泵橇、高压管汇、井口等）周边应设警戒隔离及“高压区”“禁止靠近”等警示标语。

（7）井口安装规范无渗漏，闸门灵活好用无损伤，井口所有闸门应挂牌编号并明示开关状态。

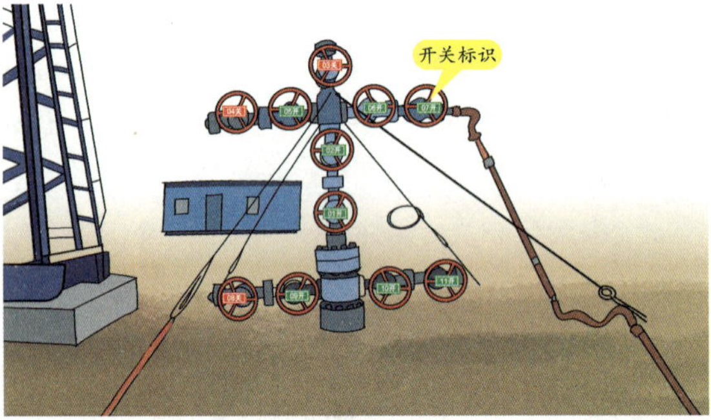

（8）压驱设备使用双重超压保护。配置电子式超压保护装置和机械式超压保护安全阀，电子式超压保护装置设定压力应当低于机械式超压保护安全阀整定压力。

（9）井口应用4道绷绳缠绕小四通的方式进行固定。绷绳直径不小于22mm，用花篮螺栓与地锚连接绷紧。

8. 连续油管设备

（1）起重机额定吊装载荷应满足作业要求，转盘中心离井口的距离应在起重能力范围之内。

（2）车辆摆放不能占用应急通道，两车之间的应急通道间距不应小于1.5m，所有设备应放在平坦而牢固的平面上。

（3）注入头吊装挂环无裂纹、开焊、破损等缺陷。吊装绳直径≥32mm，无松股、断丝等现象，吊装绳与吊物垂直线的夹角≤45°。

（4）注入头摆放位置垂直井口。以井口为基点向四周 45° 方向摆放基墩或安装地锚，并用 4 道绷绳拉紧。

（5）滚筒刹车系统工作正常。

（6）油管橇吊装挂环无裂纹、开焊、破损等缺陷。吊装绳直径≥ 36mm，无松股、断丝等现象。

（7）油管橇框架和橇装块无损坏、裂缝或变形等缺陷。

（8）防喷器组压力级别符合施工设计要求，防喷器闸板同连续油管尺寸匹配。

（9）防喷盒液压接头和软管无泄漏，铜衬套尺寸合格，磨损≤ 2.5mm。

三、常规工序检查要求

本节主要介绍在立（放）井架、拆（装）采油树、洗（压）井、起（下）抽油杆、拆（装）防喷器、防喷器试压、起（下）管柱、打捞、解卡、注水泥塞（封堵）、试油（气）等常规工序作业活动中的安全检查事项和相关操作注意事项。

1. 立（放）井架

（1）禁止在夜间、雷雨天或六级风（含六级风）以上天气进行。

（2）立（放）井架时，应有专人指挥、专人操作、专人监护。

（3）立（放）井架过程中严禁交叉作业。

（4）井架倾倒范围内，有带压（电）、运转等设备设施，应做好 JSA 分析及管控措施（绷绳）。

（5）井架倾斜角度应符合设备安装要求。

2. 拆（装）采油树

（1）井口拆卸前应放净油、套压力，操作人员侧身平稳开关闸门。

（2）在吊采油树时，专人指挥，平稳操作，吊点牢固、稳定。

（3）安装时不得将手放置于井口与四通上平面之间。

（4）井口大四通顶丝齐全，压帽紧固。

3. 洗（压）井

（1）确定洗（压）井方式及用量，操作人员侧身平稳开关闸门。

（2）进、出口管线应使用硬管线连接。

（3）高压施工时，严禁人员进入高压区。

（4）专人观察泵压、出口排量及井口、管线是否有刺漏，如有刺漏，停泵处理。

4. 起（下）抽油杆

（1）起（下）抽油杆严禁使用管钳倒、对扣。

（2）禁止使用电锯、砂轮机等切割油管内遇卡抽油杆。

（3）吊卡应与杆柱匹配，起吊单根抽油杆时，人员应站在安全区域。

5. 拆（装）防喷器

（1）防喷器螺丝安装要平齐。

（2）拆防喷器起吊前，确认螺母全部取出。

（3）起吊后，清理下部钢圈槽时，应有可靠支撑保障措施。不得将手放置于防喷器与井口四通上平面之间。

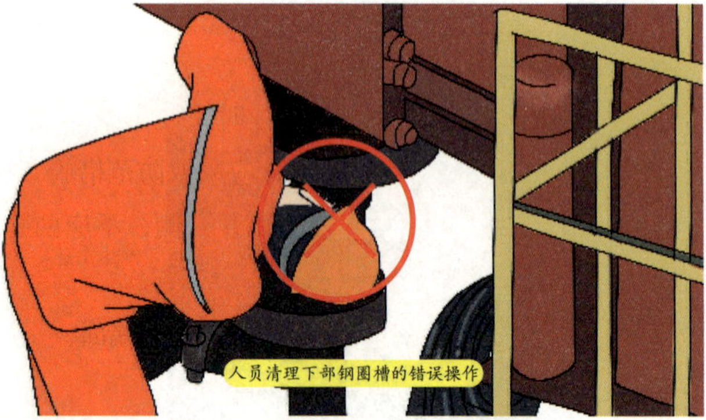
人员清理下部钢圈槽的错误操作

6. 防喷器试压

（1）试压时管线接头应系保险绳，井口及管线周围 10m 以内禁止站人。

（2）在试压中如果发生渗漏，必须在泄压后才能处理。禁止用打开防喷器的方式卸压。

（3）冬季进行防喷器试压后，应及时起出井内试压配件，将井口以及管线内积液排出清理。

7. 起（下）管柱

（1）查阅井史，明确井内管柱结构，起大直径工具控制起钻速度，提前倒自封。

（2）顶丝开到位，防喷器处于完全开位，管汇闸门处于正确状态。

（3）起下管柱时吊卡月牙关到位，月牙销、吊环销插到位锁紧有效。

（4）在油管桥上提放单根管柱时应使吊卡开口朝上，如油管支架低于自封法兰面，应采取防范措施。

（5）拉送油管操作人员站在油管一侧，不应两腿跨骑油管。

（6）严禁手扶接箍、吊卡和气动卡瓦上端面。

（7）作业人员不得在油管上行走或用脚蹬油管。

（8）人员禁止在输送机V形滑道下穿行或身体伸入输送机；禁止利用输送机顶油管。

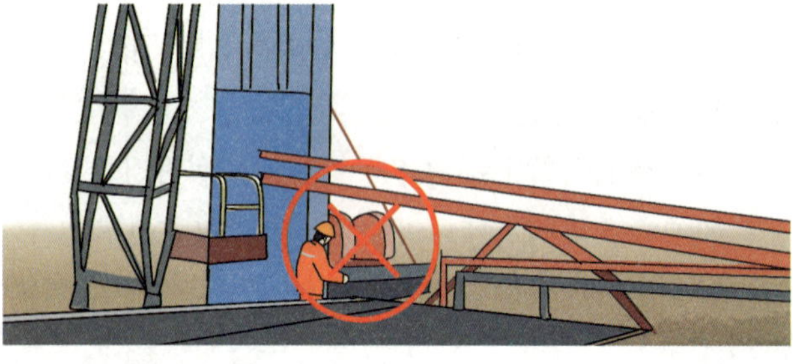

（9）在自动排管机运转过程中，操作人员不得进入排管机运行区域范围内。

（10）井口操作人员应站在逃生通道口安全处，在气动卡瓦闭合前不得站至液压钳操作位。

8. 打捞

（1）大钩锁止销处于锁止位置，定位锁紧后，钩体方向保持不变。

（2）吊环防脱销安装防脱止退措施。

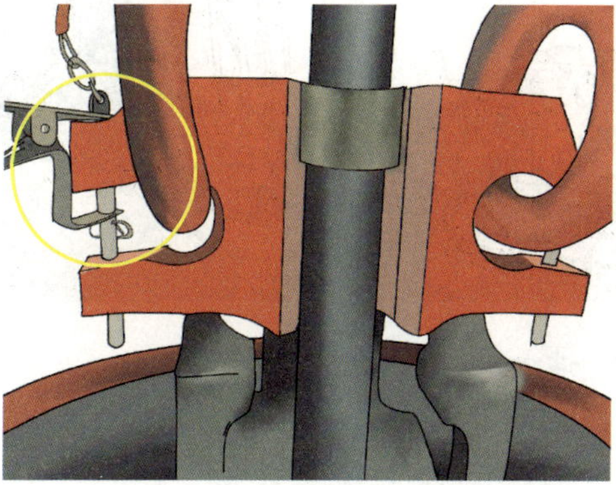

（3）打捞时人员不得站在以下位置：井架前方、井架与修井设备之间、大绳前方。

（4）不得在井口带负荷卸扣。

9. 解卡

（1）解卡前试刹车、试提，要专人指挥，站位合理。

（2）解卡前管柱顶部安装旋塞阀，吊环防脱销安装防脱止退措施。

（3）专人指挥和观察拉力表，严禁站在井架前方、井架与修井设备之间；专人观察井架、绷绳、地锚。

10. 注水泥塞（封堵）

（1）明确串槽层段，求地层吸水指数，专人观察压力表、泵压及出口排量。

（2）高压施工时，井口及管线周围10m以内不允许站人。

（3）施工后及时切断动力源，拆除管线。

11. 试油（气）

（1）井口、套管和流程按规定试压合格。

（2）抽汲作业按设计选用钢丝绳直径，抽汲绳无打扭。抽汲防喷盒、绳帽、加重杆及抽子头完好可靠。

（3）抽汲作业井口及钢丝绳附近不应站人，不应跨越钢丝绳；钢丝绳打扭或跳槽时，先用卡子卡紧钢丝绳后再放松绳索，待不再下滑时方可用工具解除。

（4）不应使用空气作为介质来实施气举、气化水洗井等作业。

四、特殊工序检查要求

本节主要介绍在打开长停井井口、水射流解堵、水力喷砂、气举、高压充填、酸化、压裂、钻磨套铣、冲砂、射孔、地层测试等特殊作业工序中的主要检查要求。

1. 打开长停井井口

（1）设计中明确地层压力、管柱记录、原封井方式等井史资料，并制定有针对性的施工方案。

（2）若顶部为井口帽或盲板，由专业队伍进行带压打孔泄压，后安装井口测量压力。

（3）对于套管短节损坏的，先切割处理原套管短节，再安装新套管短节，后安装井口测量压力。

（4）测量有毒有害气体，应两人佩戴正压式空气呼吸器，含有毒有害气体的则应采取洗井或挤注氢氧化钠溶液中和。

2. 水射流解堵、水力喷砂

（1）设计中应提供周围注水井、地层压力、硫化氢含量、井喷史等相关情况，明确本次施工压力、管柱深度、水龙带等级等。

（2）高压部件应在检测有效期内，性能符合要求，保险绳安装在吊钩主钩槽内。

（3）施工车辆应设置施工限压，发现压力异常应立即停泵处置。

（4）最上端油管应安装旋塞阀。

（5）施工后关闭旋塞阀、放尽管线余压并与泵工确认后方可拆卸井口及管线。

3. 气举

（1）现场人员佩戴耳塞或耳罩等噪声防护设施。

（2）采油（气）树安装应符合设计要求，用直径不小于 22mm 的钢丝绳进行固定。

（3）车组摆放满足施工要求，逃生通道畅通，排气管距井口大于 9m。

（4）进口管线接头处应使用直径不小于 13mm 的钢丝绳作为保险绳。

（5）采油（气）树出口按设计要求安装调节阀或油嘴，停泵后用调节阀或油嘴控制放喷。

（6）放喷管线应每隔 10m 进行固定，出口应使用针形阀控制排量，节流控制放喷，出口进循环罐，防液体飞溅措施齐全有效。

4. 高压充填

（1）防砂井口安装应符合设计要求，用直径不小于 22mm 的钢丝绳进行固定。

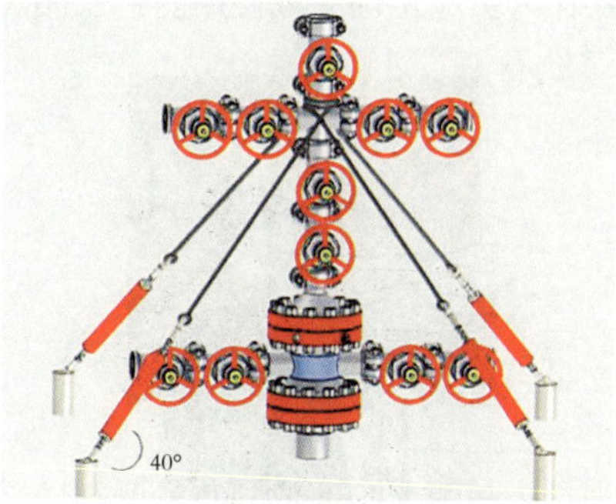

（2）车组管汇、管线、配件等高压管件在检测有效期内。

（3）在施工过程中，禁止人员进入高压危险区。

（4）施工车辆应设置施工限压。施工泵压接近施工限压时，应降低排量或停止施工，分析并采取措施，压力正常后再施工。

（5）高压施工后待放尽余压，并与泵车司机确认后方可拆卸管线。

（6）倒扣丢手时，上提负荷应适当，操作人员应站在安全区域。

5. 酸化

（1）现场配备正压式空气呼吸器、硫化氢检测仪、防酸服、防酸眼镜、防酸手套、水桶、毛巾、足量的苏打水或清水。

（2）操作人员应正确穿戴使用防护用品。

（3）车组管汇、管线、配件等高压管件在检测有效期内。

（4）井口安装应符合设计要求，用直径不小于22mm的钢丝绳进行固定。

（5）施工中人员禁止进入高压危险区。

（6）施工泵压接近施工限压时，应降低排量或停止施工，分析并采取措施，压力正常后再施工。

（7）酸化排液及后续施工做好硫化氢动态检测，操作人员必须站在上风口。

（8）酸化后放喷使用半密闭罐，残酸及时回收，转运至指定地点。

6. 压裂

（1）压裂施工应由现场指挥统一指挥、协调。

（2）设计中明确井口安装要求、压裂施工、压裂后放喷井控措施及硫化氢要求。

（3）井口安装应符合设计要求，用直径不小于22mm的钢丝绳进行固定。

（4）高压管汇中的管线、活动弯头、单流阀、旋塞阀及其他附件应使用压裂专用管件，并在检测有效期内。

（5）井口安装放喷管线，朝向应避开压裂施工区域。每间隔 10m 和出口处用地锚固定，转弯处应使用不小于 120° 钢制弯头或 90° 带抗冲蚀功能的弯头。

（6）连通油管内腔的其中一翼应提前安装高压油嘴套及 10~12mm 油嘴。

（7）以施工井井口 10m 为半径、泵车出口至施工井井口地面流程两侧 10m 为界，设定高压危险区，在施工过程中，禁止人员进入。

（8）施工作业的最高压力应不大于承压最低部件、井下工具的额定工作压力。

（9）如有设备、管线需要整改，应停泵车、熄火、管线放压，并与泵车司机确认归零后方可整改。

7. 钻磨套铣、冲砂

（1）管柱应安装旋塞阀，顶端使用水龙头等工具，转动灵活。

（2）水龙带保险绳有效固定在游动滑车大钩内，大钩定位销锁紧。

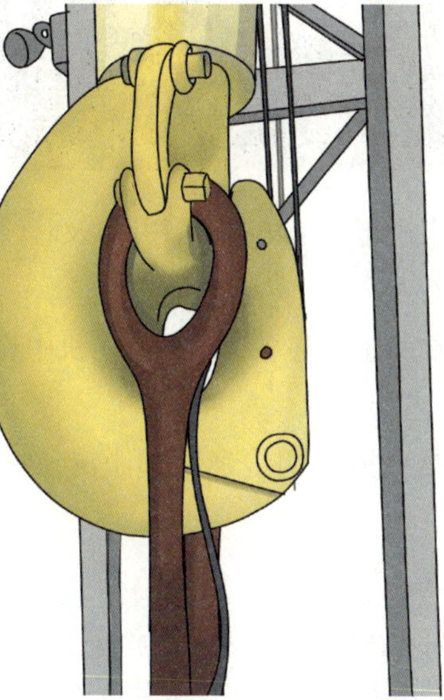

（3）水龙带与循环池之间应使用闸门（由壬）连接，并正确系保险绳。

（4）用榔头砸管线时，榔头的前后方及运动轨迹范围内不能站人，不能有障碍物。

（5）当进行高压施工时，井口及管线周围 10m 以内不允许站人。

（6）在施工过程中，水泥车司机中途严禁擅自离开操作室。

（7）转动管柱时，通过远距离拉拽液压钳操作手柄。

8. 射孔

（1）作业设计应明确射孔方式、预测地层压力、声波时差、井控措施、同层水井及压驱井等情况。

（2）施工前应按设计要求安装防喷装置并进行验收。

（3）装射孔弹、下射孔枪、射孔枪起出井口时，非操作人员不应靠近射孔弹或井口。

（4）射孔过程中，应设专人观察井口，防止井喷。

（5）射孔完成至少观察 2h 以上，量取油、套管压力、检测硫化氢含量后进行下一步施工。

9. 地层测试

（1）施工前应按照设计要求安装防喷装置并进行验收。

（2）测试绞车和仪器车等设备性能良好，外壳绝缘可靠。测试工具应按设计要求顺序连接。

（3）井口连接测试工具时应设专人观察上方工具，严防连接工具时上方倒扣。

（4）控制头连接到测试管柱后，应再连接一根活动管线，管线下端应用绳索在管柱上绑紧。

（5）活动管线每一个活接头连接处应加装保险绳。

下作业安全规程》、Q/SH 1020 1566—2022《修井作业现场安全检查规范》等为基础，以油气生产作业与施工现场为落脚点，在广泛开展生产作业过程危害因素识别与风险评价的基础上，以各区域设备设施为主线，详细列出了安全检查项目和内容并加以整合。本书适用于石油工程企业井场现场安全检查。

前言

PREFACE

为进一步规范上游各专业安全管理，提升监督检查实效性，打造安全监管督查“一把尺子”，中国石化胜利油田分公司组织行业内专家，编写了“油气田作业安全监督检查系列丛书”。该丛书分为 6 个分册，内容涉及石油工程、地面工程、注采专业（陆上）、注采专业（海上）、油气集输（含原油库和储气库）、生产辅助（注汽、注氮、新能源等）。

本书以 SY/T 5974—2020《钻井井场设备作业安全技术规程》、SY/T 5727—2020《井

《石油工程专业安全监督检查》

编委会

编委会